Collana **Italiano Facile**
3° livello

GW00385220

Italiano Facile
Collana di racconti

Volumi pubblicati:

Dov'è Yukio? (1º livello)
Radio Lina (1° livello)
Il signor Rigoni (1° livello)
Fantasmi (2º livello)
Maschere a Venezia (2° livello)
Amore in Paradiso (2° livello)
Mafia, amore & polizia (3º livello)
Modelle, pistole e mozzarelle (3º livello)
L'ultimo Caravaggio (3° livello)
Mediterranea (4º livello)
Opera! (4° livello)
Piccole storie d'amore (4° livello)
Dolce vita (5° livello)
Un'altra vita (5° livello)

Progetto grafico: Paolo Lippi
Copertina e illustrazioni: Nicotina
Un grazie a Francesco Sanna

ISBN 88-86440-02-2

PRINTED IN ITALY
la Cittadina, azienda grafica - Gianico (BS)
info@lacittadina.it

Alessandro De Giuli
Ciro Massimo Naddeo

Mafia, amore
&
polizia

ALMA Edizioni
Firenze

FIRENZE

CAP I

Alla stazione di Amburgo, una mattina di maggio.

-Ciao Hans, come va?

-Bene grazie, sto partendo.

-Vedo. Dove vai?

-Vado in Italia, a Napoli.

-A Napoli?

-Sì, voglio imparare l'italiano.

-Perché proprio a Napoli?

-Perché è una bella città. E poi là ci sono i *99 Posse*.

-Chi?

-I *99 Posse*. Sono un gruppo musicale di Napoli. Fanno una musica molto allegra. Rap mediterraneo, si chiama.

-Pensi di suonare con loro?

-Sì. So che cercano un sassofonista. Ho letto un annuncio su Rockline.

-Allora buona fortuna. Oh guarda, Hans... Quel signore non è Grusser?

-Grusser? Grusser chi?

-Grusser, il capo della polizia. La sua foto è su tutti i giornali.

-Ah sì, adesso ricordo... Ha scoperto che la mafia italiana porta i soldi nelle banche tedesche...

-Sì, esatto. Guarda, sta salendo sul tuo treno. Forse va in Italia per una **indagine**.

-O forse è in vacanza... Oh, il treno parte. Ci vediamo, Kurt.

-Ciao Hans, buon viaggio. Scrivimi una cartolina.

---

indagine: investigazione, ricerca. *Es.: quel libro parla di una nuova indagine di Sherlock Holmes.*

Note

CAP II

In treno, cinque minuti dopo. Hans cerca un posto.

-Scusa, è libero questo posto?

-Sì, non c'è nessuno.

-Allora mi siedo qui, vicino a te. Mi chiamo Hans. Vado a Napoli.

-Piacere, io sono Francesca. Anch'io vado a Napoli.

Francesca ha un viso simpatico. Ha i capelli neri e due grandi occhi verdi.

-Sei italiana?

-Un po'. Mia madre è tedesca e mio padre è italiano. Ma io sono nata in Germania.

-Ho capito. E ora vai in Italia per le vacanze.

-No. Vado in Italia per lavoro. Sono una giornalista. Devo scrivere qualcosa sulla mafia.

-Ah sì? Lo sai chi c'è su questo treno?

-No, chi c'è?

-Grusser, il capo della polizia. Lo conosci?

-Certo. Una volta l'ho anche intervistato. Si occupa della **lotta** alla mafia. Ma come fai a sapere che viaggia su questo treno?

-L'ho visto salire. E' in prima classe.

-Forse segue qualcuno...

-No, queste cose succedono solo nei film. Secondo me è in vacanza.

-Hai ragione. Dopo però voglio parlare con lui. Mi può dare qualche informazione per i miei articoli. E tu, che cosa vai a fare in Italia?

-Vado a imparare l'italiano. E a suonare il sassofono...

-Sei un musicista?

-Sì. Mi piace suonare il rap. Conosci i *99 Posse*?

---

lotta: combattimento, guerra. *Es.: la lotta contro la droga è molto difficile.*

-Certo, sono miei amici.

-Davvero?

-Sì. Ti ho detto che mio padre è italiano. E' di Napoli. Ho molti amici là.

-E' incredibile. Sono partito da cinque minuti e ho già conosciuto un'amica dei *99 Posse*.

Arriva il controllore:

-Biglietti, per favore.

-Ecco il mio...

-Va bene, grazie. Il suo biglietto, signore?

-Un momento...

Hans non lo trova. Guarda nella borsa, nell'agenda e nel portafoglio, ma il biglietto non c'è.

-Non lo trovo... Non mi ricordo dove l'ho messo...

-Prova a guardare nella tasca dei pantaloni -dice Francesca.

-Ah sì, eccolo. Fiuuuh, che paura!

-Va bene, grazie. Buon viaggio.

Il controllore esce.

-Perché mi guardi così?

-Perché per un momento ho pensato: "fine del viaggio". E anche: "addio Francesca".

-Beh, sei ancora qui. Vuoi un po' di coca cola?

-No, grazie. Non ho sete.

CAP III

Il treno corre veloce. Hans e Francesca fanno mille discorsi:

-Francesca, tu parli l'italiano?

-Certo. Parlo il tedesco, l'italiano e anche il napoletano.

-Che cos'è il napoletano?

-E' il dialetto di Napoli.

-Non parlano l'italiano, a Napoli?

-Sì, ma esiste anche il dialetto. I *99 Posse*, per esempio, cantano in dialetto.

-Per questo io non capisco niente. Le loro canzoni sono **incomprensibili**.

-E' un dialetto bellissimo. Lo sai che ci sono poesie, canzoni e opere teatrali in napoletano?

-No, non lo so.

-E che in ogni città d'Italia c'è un dialetto diverso?

-Mamma mia! Come farò a capire?

-Non è difficile. Prima, però, devi imparare l'italiano.

-Hai ragione. Quest'inverno ho seguito un corso ad Amburgo. Non è stato difficile.

-Allora lo parli già...

-L'italiano? Sì, un poco. Senti, è finita la coca cola?

-No, aspetta. E' nella valigia.

Mentre Francesca apre la valigia per prendere la coca cola, un libro cade per terra.

-Che cos'è?

-E' un libro sulla mafia. Mi serve per il mio lavoro.

- «Cosa nostra, 'ndrangheta e camorra» -legge Hans- Che cosa vuol

---

incomprensibili: difficili da capire. *Es.: la lingua araba e la lingua cinese sono incomprensibili.*

Note

dire questo titolo?

-Sono tre nomi della mafia.

-Perché, la mafia ha molti nomi?

-Sì, dipende dalla zona geografica. In Sicilia, per esempio, c'è la mafia più famosa. Si chiama cosa nostra.

-Quella che è anche in America?

-Sì, esatto. Quella di Al Capone.

-Poi?

-Poi c'è la 'ndrangheta, che è in Calabria. La Calabria è una regione...

-Sì, lo so. E' una regione italiana. Si trova sopra la Sicilia.

-Bravo. E' **sulla punta dello stivale**.

-E la camorra che cos'è?

-La camorra è la mafia di Napoli.

-Camorra... Che strano nome. Che cosa vuol dire?

-Non lo so, Hans. Adesso voglio dormire un po'. Ieri sera ho fatto una festa per salutare gli amici. Sono rimasta sveglia fino alle quattro. Ho dormito solo tre ore...

-Okay, okay, ho capito. Ti lascio dormire. Io vado a prendere un caffè al vagone ristorante. Così guardo dov'è seduto Grusser.

-Sì. Dopo andiamo a parlare con lui.

-A dopo, allora.

CAP IV

Nel vagone ristorante, cinque minuti dopo. Hans ordina un caffè:

-Forte e senza zucchero.

---

sulla punta dello stivale: l'Italia ha la forma di una grande scarpa (stivale). Nella parte finale (sulla punta) c'è la Calabria.

Note

Hans lo prende sempre così, forte e senza zucchero, perchè è più buono.

Mentre lo beve, Hans osserva gli altri viaggiatori: ci sono molti tedeschi, soprattutto famiglie con bambini. Ma c'è anche qualche italiano che lavora in Germania e che torna in Italia per le vacanze.

Hans pensa ai suoi viaggi: a sedici anni è andato in Inghilterra, a diciotto in Francia, ora, a ventitré anni, va in Italia.

Prima di partire ha lasciato il suo lavoro al porto di Amburgo: "E' troppo duro", ha detto al signor Henze, il direttore della società portuale.

Quando tornerà in Germania, cercherà un altro lavoro.

CAP V

Qualche ora dopo.

Hans ha bevuto altri caffè. E' rimasto a pensare. Ha osservato a lungo il **paesaggio** fuori dal finestrino. La campagna tedesca è molto bella. Adesso ha deciso di tornare da Francesca.

Quando entra nello **scompartimento**, Francesca sta ancora dormendo. Ci sono due nuovi passeggeri: sono italiani, ma Hans non capisce i loro discorsi. Allora decide di leggere il giornale.

-Buonasera, signori. I vostri passaporti, prego.

E' la polizia di frontiera.

-Passaporti?... Ma dove siamo... Che ore sono?

---

paesaggio: panorama, vista. *Es.: dalla finestra della mia camera vedo un bel paesaggio.*

scompartimento: parte del vagone del treno. *Es.: nel vagone del treno ci sono otto scompartimenti, in ogni scompartimento ci sono sei posti.*

Note

-Sono le sei, Francesca. Siamo in Austria. Hai dormito tutto il pomeriggio. Ecco il mio passaporto, signore...

-Grazie. Il suo, signorina?

-Eccolo.

-Avete niente da dichiarare?

-No, niente.

-E voi, signori?

I due italiani non capiscono.

-Ho detto se avete qualcosa da dichiarare -ripete il poliziotto.

-Sono italiani -dice Francesca- Non parlano tedesco.

-Sì, è vero. I loro passaporti sono italiani.

-Puoi tradurre tu, Francesca. Tu parli bene italiano.

-No, Hans... Poi ti spiego...

-Che cosa mi devi spiegare? Non parli italiano?

-No... E' meglio che...

-Non importa -dice il poliziotto- I signori non hanno valigie. Va bene così... Arrivederci e buon viaggio.

Esce.

-Hans, **mi accompagni** a prendere un caffè?

-Sì, così mi spieghi questa storia.

CAP VI

Hans e Francesca escono dallo scompartimento. Attraversano il treno.

-Senti, Hans... Ti devo parlare... Quei due signori...

-Chi, i due italiani?

---

mi accompagni (inf. *accompagnare*): venire (o andare) con qualcuno. *Es.: Mi accompagni a Roma? = Vieni con me a Roma?*

Note

-Sì, sono saliti a Stoccarda, quando tu sei andato al vagone ristorante.

-E allora, che cosa è successo?

-Ascolta... Quando sono entrati mi sono svegliata e non ho più dormito.

- Ma come! Non hai dormito tutto il pomeriggio?

- No. Ho provato a dormire, ma loro hanno cominciato a parlare. Così ho tenuto gli occhi chiusi per ascoltare...

-Io non ho capito niente. Il loro italiano è incomprensibile.

-Sono napoletani, Hans. Parlano il dialetto.

-E' vero! Parlano come nelle canzoni dei *99 Posse*.

Ora Hans e Francesca sono nel vagone di prima classe.

-Oh guarda, c'è Grusser. Vuoi parlare con lui?

-Lascia perdere, Hans. Andiamo nel vagone ristorante. Poi ti spiego...

CAP VII

Nel vagone ristorante, poco dopo. Hans e Francesca fanno la fila per ordinare.

-Che cosa vuoi?

-Un caffè. E tu?

-Io prendo una birra. Ho bevuto troppi caffè, oggi.

-Va bene. Cerca un tavolo libero. Io pago e arrivo subito.

Hans si siede ad un tavolo, vicino al finestrino. Dopo un minuto arriva Francesca, con il caffè e la birra.

-Grazie. Allora, che cosa mi devi dire?

-Hans, i due italiani seduti vicino a noi sono due camorristi.

-Camorristi? E chi sono i camorristi?

-Non ricordi? La camorra, la 'ndrangheta...

-Ah sì, la camorra è la mafia di Napoli... Vuoi dire che sono due mafiosi?

-Esatto.

-E tu come lo sai?

-Ho sentito i loro discorsi. Ti ho detto che non ho dormito...

-Ma allora tu capisci l'italiano?

-Certo. Mio padre è di Napoli, te l'ho detto. Capisco anche il napoletano.

-Ma prima, con la polizia...

-Hans... Prima non ho voluto parlare, quei due non devono sapere che io ho capito...

-D'accordo. E che cosa hanno detto?

-Hanno parlato del **processo** Passalacqua.

-Chi è Passalacqua?

-E' il capo della camorra. **E' stato arrestato** un mese fa in Italia. Ora è stato condannato a trent'anni di prigione. Quei due hanno detto che devono fare qualcosa...

-Vogliono liberare Passalacqua?

-Non lo so, hanno detto che anche Carosi è d'accordo...

-Carosi? E chi è?

-Non lo so, Hans, non lo so. Forse è il nuovo capo della camorra.

-Passalacqua... Carosi... Capo della camorra... Mi sembra di essere in un film. E poi, che cosa hanno detto ancora?

---

processo: azione giudiziaria, pubblica discussione che si fa per giudicare qualcuno. *Es.: il processo ha giudicato che quest'uomo è innocente.*

è stato arrestato (inf. arrestare) : è stato preso, è stato messo in prigione. *Es.: un pericoloso assassino è stato arrestato dalla polizia.*

-Hanno detto che Grusser fa il **doppio gioco**.

-Che cosa vuol dire?

- Vuol dire che è un loro amico. Capisci Hans? Grusser lavora per la mafia!

- Come... anche Grusser è un camionista?

- Si dice camorrista, Hans...Camorrista... Il camionista è l'uomo che guida il camion.

- Va bene, camorrista. Come è possibile? Grusser è famoso per la lotta alla mafia...

-E invece è un mafioso. Senti, dobbiamo fare qualcosa.

-E che cosa vuoi fare?

-Forse Grusser va in Italia per incontrare il nuovo capo della camorra, forse preparano qualcosa...

-O forse tu leggi troppi **libri gialli**... Grusser è un poliziotto famoso. E quei due non sono due camorristi, ma solo due italiani che non capiscono il tedesco. Torniamo al nostro posto, adesso.

-Come vuoi. Ma sono sicura che Grusser è un mafioso.

-Sì, ed io sono Al Capone.

CAP VIII

Hans e Francesca attraversano il treno. Stanno tornando al loro scompartimento.

-Hans...

-Sì?

-Devo andare in bagno. Vai avanti, io arrivo subito.

---

doppio gioco: fare due cose opposte nello stesso momento. *Es: Giorgio fa il doppio gioco, lavora per la polizia e per la mafia.*

libri gialli: libri polizieschi. *Es.: Agatha Christie ha scritto molti libri gialli.*

Note

-Va bene.

Francesca entra nel bagno. Si lava le mani e la faccia. Quando esce, cinque minuti dopo, Hans è ancora là.

-Ah, mi hai aspettato. Sei gentile.

-No, veramente sono arrivato fino al nostro scompartimento. Ma là ho trovato Grusser insieme ai due italiani. Così sono tornato indietro.

-Hai visto che ho ragione? Grusser è amico dei due mafiosi. Ma tu, perché sei tornato qui?

-Non lo so... Ho avuto paura... I tuoi discorsi...

-Ed ora che cosa facciamo?

-E' meglio tornare al nostro posto e fare finta di niente. Forse Grusser ha incontrato due vecchi amici. Che cosa c'è di male?

-Hans, ti ho detto che sono due mafiosi! Perché non mi credi? Ehi, guarda... Sta arrivando Grusser... Ed è insieme a loro... Cerchiamo di scoprire qualcosa.

CAP IX

Grusser e i due italiani camminano verso Hans e Francesca. Sembrano discutere.

-Buonasera, signor Grusser.

-Buonasera, signorina. Lei mi conosce?

-Sì, sono una giornalista. Non si ricorda di me? Sono venuta da lei per un'intervista, una volta...

-Ah sì, ora ricordo... Lei è la signorina...

-Francesca Affatato.

-Sì... Sì... Francesca Affatato... Certo... Mi ricordo... Lei è italiana,

non è vero?

-No, mio padre è italiano. Io sono tedesca. E questo è il mio amico Hans. Hans...

-Lubber. Hans Lubber.

-Piacere. Ho incontrato questi due amici italiani e sto andando a bere un caffè con loro. Non parlano tedesco.

-Lo sappiamo. Sono nel nostro scompartimento.

-Davvero? Che **combinazione**!

-Va in Italia per un'indagine sulla mafia, signor Grusser?

-Come?.. Ah sì... Il lavoro... Sempre il lavoro... Una missione di due giorni... E voi, che cosa andate a fare in Italia?

-Andiamo a imparare l'italiano.

-Imparare l'italiano? Ma... Lei non lo parla, signorina? Con un padre italiano...

-Beh, no... Sì... Cioè...

-Non ricordi più niente, non è vero Francesca? Spiega al signor Grusser...

-Sì, certo... L'ho imparato da piccola, ma ora ho dimenticato tutto... Sono molti anni che non vado in Italia... Mio padre parla sempre in tedesco...

-Ah, capisco...

-Non ricorda più niente -ripete Hans- Ha dimenticato tutto. Anche il napoletano!

-Hans, ma che dici... Io non ho mai parlato il napoletano...

-E' vero, che stupido. Tuo padre è di Milano...

-Già, è un milanese.

Il treno si ferma.

-Che succede? Perché ci fermiamo?

---

combinazione: caso, coincidenza. *Es.: Paolo è andato a Londra e per combinazione ha incontrato Giovanni.*

Note

-Siamo al Brennero -spiega Grusser- E' la frontiera tra l'Austria e l'Italia. Il treno si ferma venti minuti.

-E' vero, è la frontiera. Vuoi scendere con me, Hans?

-D'accordo. Arrivederci signor Grusser.

-Arrivederci. Attenti a non perdere il treno.

Grusser va via con i suoi amici. Hans e Francesca scendono.

CAP X

Stazione del Brennero.

-Secondo te ha capito che io parlo italiano?

-Non lo so, spero di no. Ora non voglio più pensare a questa storia. Guarda, c'è un bar.

Il bar della stazione è ancora aperto. Vende **bibite**, panini e pizze.

-Che cosa vuoi?

-Un panino, grazie.

-Io prendo una pizza. Lascia chiedere a me. Voglio provare a parlare italiano.

-Hans, qui parlano anche tedesco...

-Non siamo in Italia?

-Certo, ma la gente è tedesca ancora per cento chilometri.

-Ma allora chi parla italiano in Italia? A Napoli parlano napoletano, qui parlano tedesco...

Francesca ride. Poi ordina un panino e una pizza.

-Hai visto? Parlano tedesco.

-Hai sempre ragione tu.

---

bibite: cose da bere, sostanze non alcoliche. *Es: la coca cola e la limonata sono bibite.*

Note

-Ecco... Prendi la tua pizza.

Mentre mangiano, Hans e Francesca tornano verso il treno.

-Hans, ti devo dire una cosa.

-Che cosa c'è ancora? No, aspetta... Ho capito... Il barista è un camorrista...

-Non scherzare... Senti, io non voglio dormire con quei due, stanotte. Cambiamo posto.

-D'accordo. Ora prendiamo le valigie e cerchiamo un altro scompartimento. Il treno è quasi vuoto.

CAP XI

In treno, subito dopo.

-Non sono ancora tornati.

-Svelto, prendiamo le valigie e andiamo via... Che cosa c'è? Perché mi guardi così?

-E' incredibile. Io sono venuto in Italia per suonare il sassofono, andare al mare e innamorarmi di una bella ragazza con gli occhi neri, e invece...

-E invece?

-Invece mi ritrovo in una storia di polizia e di mafia...

-Vuoi dire che **è colpa mia**?

-No, però...

-Dai Hans, non perdiamo tempo. Andiamo via.

-Va bene.

Cercano un altro scompartimento.

-Questo posto ti piace?

è colpa mia: sono io il responsabile, sono io la causa di... *Es.: "E' colpa mia, ho ucciso io quest'uomo"*.

Note

-Sì, ma chiudiamo la porta... Così non può entrare nessuno.

- Ecco fatto.

Il treno riparte.

CAP XII

-Senti, Hans... Tu dove vai quando arrivi a Napoli?

-Non lo so. Il primo giorno penso di andare in albergo. Poi voglio trovare una stanza in un appartamento in affitto. Perché?

-Perché sto pensando che la casa di mia nonna è vuota. Io vado là. Beh, dopo pensiamo anche a questo, d'accordo?

-D'accordo. E' una casa grande?

-No, è molto piccola. E' un basso.

-Che cos'è un basso?

-E' un appartamento con la porta sulla strada. E' la tipica casa dei quartieri popolari.

-E tua nonna? Non ci abita più?

-No, adesso è vecchia. Sta con i miei zii. Anche loro abitano a Napoli.

-Allora la casa è libera?

-Sì, te l'ho detto!

-Aspetta, prendo la carta di Napoli. Così mi fai vedere dov'è.

Hans apre la valigia e prende la carta della città.

-Dov'è?

-E' qui in centro vicino al San Carlo e alla Galleria.

-Che cosa sono il San Carlo e la Galleria?

-Ma non hai letto niente di Napoli?

Note

-No, il libro che ho usato a scuola quest'inverno parla solo di Roma, Firenze e Venezia.

-Va bene. Quando arriviamo ti faccio conoscere Napoli. E' una bellissima città. Adesso dormiamo.

-Va bene, dormiamo. Buonanotte Francesca.

-'notte Hans.

-Che cosa c'è?

-Fa un po' freddo...

-Vuoi la mia giacca?

-Forse voglio te e non la tua giacca... Dai Hans, vieni vicino a me... Anche se non ho gli occhi neri...

-Beh, non hai gli occhi neri...E forse questo è un sogno... Ma tu sei davvero un angelo...

-Domani sera, allora, suonerai una **serenata** per il tuo angelo...

CAP XIII

Notte. Stazione di Firenze. Il treno si ferma.

Alcuni passeggeri scendono. Altri salgono. C'è molta confusione. Nel loro scompartimento, Hans e Francesca si svegliano.

-Che cosa succede? Dove siamo?

-Aspetta che guardo...

Francesca si alza e accende la luce.

-Siamo a Firenze.

-Ancora? Ma quando arriviamo a Napoli?

-Non lo so. Ehi, guarda Hans... Grusser sta scendendo...

Hans si alza.

---

serenata: canzone d'amore. *Es.: Romeo canta una serenata a Giulietta.*

Note

-E' vero. E' insieme ai due italiani.

-Sì, sono loro. Ma perché Grusser ha una valigia così grande?

Grusser è sceso dal treno con una valigia molto grande. Per portarla chiede aiuto ai due italiani.

-Hai visto? Non riesce a portarla da solo. Tutto questo è molto strano...

-Perché è strano?

-Ma non capisci? Grusser ha detto che resta in Italia solo due giorni!

-E allora?

-Quella è una valigia sufficiente per due mesi...Non è normale, Hans...

-Hai ragione. Ma forse Grusser ha portato molti vestiti, o forse resta più di due giorni... Non lo so... Ora ho sonno, voglio dormire.

Hans ritorna al suo posto.

-Ma Hans, come puoi dormire... Dobbiamo fare qualcosa... Forse c'è un **cadavere** in quella valigia!

-Tu sei proprio matta. Prima i camorristi, ora il cadavere... E secondo te chi hanno ucciso, il controllore?

-Ti ho detto di non scherzare.

-Dai, vieni qui... Domani saremo a Napoli e dimenticheremo tutto.

-D'accordo. Forse hai ragione tu. Leggo troppi libri gialli.

Il treno riparte.

CAP XIV

Stazione di Napoli, la mattina dopo.

Hans e Francesca scendono dal treno.

---

cadavere: il corpo di un morto. *Es.: nella casa, la polizia ha trovato il cadavere di un uomo.*

-Che caldo! Mi devo togliere subito le calze di lana e il maglione...

-Qui al sud fa caldo, non lo sai? Non siamo in Germania. Guarda... Il termometro segna ventidue gradi...

-Ventidue gradi... Alle nove e mezza di mattina...

-Coraggio, Hans. Con due fermate della metropolitana siamo arrivati a casa.

-Allora posso venire a casa tua?

-Certo. Mi devi suonare la serenata stasera.

-Stasera suono ma ora voglio fare una doccia e poi una passeggiata.

-Va bene. Aspetta un momento.... Compro i biglietti della metropolitana.

Francesca entra in un bar. Ritorna con due biglietti.

-Quanto costano?

-Mille lire.

CAP XV

Nella metropolitana, tra la gente.

Hans e Francesca ascoltano una discussione.

-Che cosa dicono? Non capisco...

-Dopo, Hans... Dopo... Fammi sentire...

Alcuni passeggeri stanno parlando di un attentato. Nella notte è esplosa una bomba a Firenze, dentro il museo degli Uffizi... Ci sono stati molti **feriti**... Quadri di Leonardo, di Raffaello e di altri maestri del Rinascimento italiano sono stati distrutti... Una parte del museo

---

feriti: vittime di un incidente (ma non morti). *Es.: l'attentato al supermercato, ha causato venti morti e trenta feriti.*

è crollata... Forse è un nuovo attentato della mafia...

-La mafia? Ho capito bene Francesca? Hanno detto la mafia...

-Sì Hans, la mafia. Un attentato... Oh, siamo arrivati. Dobbiamo scendere.

CAP XVI

La casa di Francesca è a cinque minuti dalla stazione della metropolitana. Le strade a quest'ora sono piene di gente.

-Che confusione!

-E' il centro di Napoli, Hans. E' sempre così...

-E la tua casa dov'è?

-E' là, in quella strada a destra.

-E' una strada piccolissima, davvero la tua casa è là?

-Sì... Ecco... Siamo arrivati.

Entrano.

-Attenzione alla testa, Hans...

-Ahiah!

-Troppo tardi...

-**Porca miseria**... Ma perché l'entrata è così bassa?

-E' un basso, te l'ho detto... Ma se non ti piace ti posso accompagnare in un albergo...

-No, no, mi piace... Io voglio stare con te... E questa statua chi è?

-E' San Gennaro, il santo di Napoli. Ecco... Qui c'è la cucina... Qui le due camere da letto... E qui il bagno... Vuoi fare la doccia per primo?

-Sì, grazie. Sei un angelo.

è crollata (inf. *crollare*) : è caduta. *Es.: una casa molto vecchia è crollata e dieci persone sono morte.*

porca miseria: imprecazione che esprime rabbia, furia. *Es.: "Porca miseria! Ho perso il treno".*

CAP XVII

A casa di Francesca, un quarto d'ora dopo. Hans esce dalla doccia.

-Hai fatto?

-Sì. Puoi andare tu, adesso.

-Aspetta. Voglio sentire la radio. Ci sono le notizie.

« ... *L'attentato di questa notte al museo degli Uffizi* **ha provocato** *una forte impressione in tutto il mondo. Artisti e intellettuali di tutti i paesi hanno espresso la loro condanna. Purtroppo le opere di Leonardo, Raffaello, Piero della Francesca e di molti altri pittori sono perdute per sempre. Intanto, la polizia continua le indagini, ma le speranze di trovare i* **colpevoli** *non sono molte.* »

-Allora, che cosa dice... E' stata la mafia?

-E' possibile.

-Secondo me è stato Grusser. E' arrivato alla stazione di Firenze questa notte e poi è andato al museo a mettere la bomba. Con i due camorristi e il cadavere nella valigia...

-Hans, non scherzare. Forse è stato davvero Grusser...

-Beh, io vado a fare un giro per Napoli. Vieni anche tu?

-Sì, mi faccio la doccia e arrivo. Ti porto a vedere la Galleria, va bene?

-Va bene. E stasera dove mi porti?

-Ti faccio conoscere i *99 Posse*. Andiamo all'Officina.

-Che cos'è l'Officina?

-E' una vecchia fabbrica. I gruppi musicali della città suonano là.

---

ha provocato (inf. provocare): ha causato. *Es.: il vento forte ha provocato molti incidenti.*

colpevoli: responsabili (autori) di una colpa o di un crimine. *Es.: la polizia ha trovato i colpevoli.*

Note

-E perché suonano in una fabbrica?

-Non è più una fabbrica. Ora è diventata un centro sociale: un posto dove i ragazzi organizzano concerti, cinema, teatro e altri spettacoli.

-Ho capito, è una fabbrica di artisti.

-Sì Hans, è un po' così.

CAP XVIII

All'Officina, la sera.

Gruppi di ragazzi e ragazze che ballano. Sei musicisti suonano una musica molto allegra.

Hans e Francesca parlano con alcuni amici:

-Ciao Francesca, quando sei arrivata?

-Stamattina. Come stai?

-Bene, grazie. E tu?

-Anch'io. Suonate sempre?

-Sì, abbiamo fatto un nuovo disco. Siamo diventati famosi.

-Sono contenta... Ah, questo è Hans. Viene da Amburgo. E' un sassofonista. Ha letto il vostro annuncio su Rockline e ha pensato di venire a Napoli.

-Benvenuto Hans... Parli italiano?

-Sì, un poco.

-Ti piace Napoli?

-Certo, è una città molto bella... Quando posso suonare con voi?

-Domani. Noi stasera non suoniamo. Ora c'è il concerto di un altro gruppo e dopo ci sono dei nostri amici. Se vuoi, puoi suonare con loro.

-D'accordo.

-Allora vieni... Te li presento... Sono là in fondo... Ah, io mi chiamo Marco.

Hans e Marco vanno a conoscere i musicisti.

CAP XIX

Francesca saluta gli altri amici:

-Ciao Antonio.

-Ciao Francesca. Sei arrivata oggi?

-Stamattina. Hai sentito della bomba?

-Sì, che disastro...

-Lo sai... Io ho fatto il viaggio con un poliziotto tedesco... Si occupa della lotta alla mafia... Grusser, si chiama... E' sceso a Firenze questa notte... E subito dopo è esplosa la bomba.

-Che cosa vuoi dire? Che è stato lui? Un poliziotto?

-Non lo so... La stazione di Firenze è molto vicina al museo degli Uffizi... Sono solo dieci minuti di strada... E Grusser è un amico della camorra...

-E tu come lo sai?

-Ho fatto il viaggio con due camorristi. Ho sentito i loro discorsi. Hanno parlato di lui, del processo Passalacqua...

-Secondo me tu leggi troppi libri gialli...

-Ancora! Ma perché nessuno mi crede?

Arriva Pietro, un altro dei *99 Posse*:

-Ehi Francesca, è un tuo amico quel ragazzo alto e biondo che suona il sax?

-Sì, è Hans. Abbiamo fatto il viaggio insieme. Perché?

-E' bravo... Davvero.

Hans è sul **palco**. Sta suonando con un gruppo di musicisti.

-E' venuto dalla Germania per suonare con voi.

-Noi? Noi chi?

-Voi, i "99 Posse"... Non cercate un sassofonista?

-Sì, certo. Allora ci conoscono anche in Germania?

-Lui vi conosce, ma non capisce le parole delle canzoni.

-E' normale, cantiamo in napoletano...

-Francesca! Come stai?

E' Claudia, un'altra amica.

-Sto bene, grazie.

-Vieni... Andiamo al bar... C'è anche Aurelia.

CAP XX

Due ore dopo.

Il concerto è finito, molti ragazzi sono andati via.

Francesca è al bar. Aurelia sta contando i soldi:

-Cinquecentottanta... Cinquecentonovanta... Seicento... Seicentomila lire, non è male no?

-No. E' venuta molta gente.

-Sono stanchissima, stasera. Ho lavorato come una matta.

Arriva Hans.

-Ti sei divertito, Hans? Hai suonato molto bene!

-Grazie, ho suonato per il mio angelo... C'è ancora un po' di birra?

-Certo, bevi... Ti presento Aurelia. Lavora al bar. Quelli invece sono

---

palco: la parte del teatro dove gli artisti cantano o recitano. *Es.: Il palco del teatro dell'Opera di Parigi è molto grande.*

Note

Claudia, Antonio, Pietro e Stefania.

-Ciao a tutti.

-Ehi ragazzi, andiamo a mangiare una pizza?

-Sono le due. E' difficile trovare un posto aperto, a quest'ora...

-Ma no... Da Nello è ancora aperto... Possiamo andare...

-Va bene. Abbiamo le macchine?

-Sì, c'è la mia e quella di Pietro.

-Ti va di andare, Hans?

-Certo angelo mio. Con te vado **dappertutto**.

-Allora andiamo.

-Aspettate, devo chiudere...

-Ehi, aspettate Aurelia...

-Okay, possiamo andare.

-Ma...

-Attenti!

-Quella macchina...

-Hanno la pistola... A terra!

RAT! RAT! BUM! BAM! BEM!

CAP XXI

-Antonio, Stefania...

-Siamo qui, come va?

-Bene, e voi?

-Io mi sono fatto la pipì nei pantaloni...

-Aurelia, Francesca, ci siete?

---

dappertutto: in ogni luogo, in tutti i luoghi. *Es.: con l'aereo puoi andare dappertutto (in ogni parte del mondo).*

Note

-Sì, stiamo bene.

-Hans... Dove sei, Hans...

-Sono qui, angelo mio. Ma perché ci **hanno sparato**?

-Sono camorristi.

-E cosa vogliono da noi i camorristi?

-Non lo so, Hans.

-Dai, ragazzi... Andiamo via.

Arrivano due macchine della polizia.

-Oh no! Ora dobbiamo stare tutte la notte a parlare con loro...

-Meglio i poliziotti dei camorristi.

-Sì, come il nostro amico Grusser...

-Lo sai, Francesca, ti conosco da un giorno e ho incontrato solo mafiosi, poliziotti, bombe e pistole: tu sei un pericolo!

-Basta con le discussioni, ragazzi. Date i documenti ai poliziotti.

-Sì, ecco la mia carta d'identità.

-Questo è il mio passaporto.

-Dobbiamo andare tutti al **commissariato**.

-Va bene. Che serata!

CAP XXII

A casa di Francesca, la mattina dopo.

-Sei sveglia, angelo mio?

-Ho sonno, Hans... Dormiamo ancora un po'.

---

hanno sparato (inf. *sparare*): usare la pistola. *Es.: i terroristi ci hanno sparato con una pistola ma non ci hanno ucciso.*

commissariato: stazione di polizia. *Es.: la polizia ha portato l'assassino al* commissariato.

Note

-No. Io voglio andare al mare, poi voglio mangiare il pesce in un buon ristorante e stasera voglio suonare con i tuoi amici.

-Va bene, adesso mi alzo. Accendi la radio, intanto.

"Continuano le indagini sull'attentato al museo degli Uffizi. Secondo gli esperti, i terroristi hanno usato circa cento chili di Pentax, un esplosivo molto potente. Il capo della polizia Carosi ha dichiarato che le **forze dell'ordine** *faranno il possibile per scoprire i colpevoli e..."*

-Hans!

-Sì?

-Hai sentito?

-Sì, continuano le indagini...

-Ma no!... Carosi!... Hai sentito?... E' il capo della polizia!

-E allora? Lo conosci?

-Hans... I due camorristi, in treno... Hanno detto: "Anche Carosi è d'accordo"... Capisci adesso? Il capo della polizia italiana è un mafioso!

-Anche lui? Come Grusser?

-Sì, come Grusser... Lo so che è incredibile, ma è così!

-Vuoi sapere la mia opinione? Secondo me tu leggi trop...

-Basta così, Hans! Non voglio più discutere con te!

Francesca si alza e va in cucina. E' arrabbiata. Hans la segue.

---

forze dell'ordine: polizia. *Es.: le forze dell'ordine hanno preso i criminali.*

Note

CAP XXIII

In cucina.

-Scusami...

-No, vai via...

-Dai, non fare così angelo mio... Ti credo... Anche il capo della polizia italiana è un amico della mafia... Va bene... Come si chiama, hai detto?

-Carosi.

-Carosi? Allora è questo qui, guarda... C'è la sua foto sul giornale di ieri. E un'intervista: "La polizia scoprirà i colpevoli".

-Sì, è lui.

-Okay... Cerchiamo di capire... Grusser è il capo della polizia di Amburgo. E' un amico della mafia. Viene in Italia per fare un attentato. Sul treno incontra due camorristi. Scendono tutti e tre a Firenze e mettono la bomba al museo degli Uffizi. Carosi, il capo della polizia italiana, è d'accordo con loro. Dice che scoprirà i colpevoli e invece protegge i suoi amici. Ah, dimenticavo... Grusser ha una valigia molto grande... Forse c'è un cadavere...

-No, non è così Hans. Non c'è un cadavere, nella valigia.

-E cosa c'è, allora?

-L'esplosivo. La radio ha detto che i terroristi hanno usato cento chili di Pentax, un esplosivo molto potente.

-D'accordo. Grusser ha portato l'esplosivo nella valigia. Ma perché tutto questo?

-Come perché...

-Perché hanno fatto questo attentato? E perché la mafia italiana ha chiesto aiuto ad un poliziotto tedesco?

-Non hai capito, allora... Il processo Passalacqua...

-Passalacqua?

-Sì, il capo della camorra. E' stato condannato a trent'anni, non ricordi? L'attentato è una **vendetta** della camorra per la condanna di Passalacqua.

-Ho capito. Ma perché Grusser?

-Perché nessuno sospetta di lui. E' un poliziotto famoso. Può trovare l'esplosivo facilmente e viaggiare senza problemi. Nessuno controlla il capo della polizia, alla dogana. E a quest'ora è già tornato in Germania.

-Sì, forse è così...

-Sono sicura, Hans.

-Va bene. Allora andiamo dalla polizia.

-Non possiamo. La polizia è d'accordo con la mafia.

-Solo Carosi e Grusser, non tutta la polizia.

-Non lo sappiamo. Forse ci sono altri poliziotti che sono dei mafiosi...

-E allora che cosa facciamo?

-Non lo so, Hans.

Suonano alla porta.

-Chi può essere?

-Vai ad aprire.

-Che strano... Non c'è nessuno.

-Guarda... Per terra c'è un biglietto.

-Che cosa c'è scritto?

«LA CAMORRA VI UCCIDERA'»

---

vendetta: punizione, reazione.

CAP XXIV

All'Officina, la sera.

Ci sono tutti gli amici.

-Ciao Francesca, ciao Hans. Perché avete quelle faccie? Che cosa è successo?

-Guardate questo biglietto.

-"La camorra vi ucciderà". Che cosa significa?

-Significa che ci vogliono uccidere. Per questo ieri sera ci hanno sparato.

-Uccidere? Ma perché? Che cosa avete fatto?

-Io e Hans sappiamo chi ha messo la bomba a Firenze.

-Il poliziotto tedesco?

-Sì, lui e i suoi due amici camorristi. Hanno capito che abbiamo sentito i loro discorsi in treno e ora ci vogliono uccidere.

-Se questo è vero, non potete restare qui.

-Sì, la camorra vi troverà.

-E dove andiamo?

-Dovete andare via da Napoli. Subito.

CAP XXV

In treno, la notte.

-Dormi, Hans?

-La camorra ci ucciderà...

-Non dire così... Domani saremo a Firenze e tutto sarà finito.

-Ci troverà anche a Firenze. Io non capisco perché vuoi andare là.

-Perché è il posto dell'attentato. La camorra ci cercherà dappertutto, ma non là. E poi Firenze è una bella città.

-Io non ho voglia di fare il turista.

-Vedrai, ti piacerà... Domani ti porto a vedere il Pontevecchio e Santa Maria Novella... E la sera andiamo a mangiare la ribollita...

-Che cos'è la ribollita?

-E' una zuppa con il pane e la verdura. E' buonissima in questa stagione.

-E va bene. Il mio angelo ha sempre ragione.

CAP XXVI

Firenze, il giorno dopo.

Le strade sono piene di turisti. Durante tutto l'anno americani, giapponesi e tedeschi vengono a visitare le bellezze artistiche della città. Anche Hans e Francesca sembrano due turisti.

-Hai visto, Hans? Firenze è stupenda.

-Sì, ma io sono stanco. Queste valigie sono pesantissime...

-Adesso cerchiamo un albergo. Ne conosco uno sul Lungarno Vespucci... Guarda Hans, quella chiesa è Santa Maria Novella. E' un esempio di architettura gotica...

-Lo so. L'ho studiata a scuola, quest'inverno. C'è una foto sul libro d'italiano. E' lontano l'albergo?

-Aspetta, domando a questa signora... Scusi signora, è lontano il

Lungarno Vespucci?

-Vada avanti signorina, poi giri a destra e quando arriva all'Arno ancora a destra.

-Grazie, arrivederci.

CAP XXVII

Dieci minuti più tardi, nella hall dell'albergo...

-Avete una camera doppia per stanotte?

-Certo, signorina. Con o senza bagno?

-Con bagno.

-D'accordo. Mi dia il suo passaporto e scriva i suoi **dati anagrafici** su questa scheda. Anche il suo amico.

-Hai capito, Hans? Devi scrivere il tuo nome, il cognome, la data di nascita e l'indirizzo.

-In italiano?

-No, va bene anche in tedesco.

-Ecco fatto.

-Grazie.

-Ci dia una buona camera, eh?

-La 312. Ha una bellissima vista sulla città.

-Vieni Hans...

-Finalmente. Voglio fare subito la doccia e non pensare più alla mafia.

-Ma qui non c'è la mafia, Hans... Non è vero, signor albergatore?

-La mafia?

---

dati anagrafici: il nome, il cognome e la data di nascita. *Es.: sul passaporto ci sono i miei dati anagrafici.*

\Note

-Sì, la mafia... La bomba al museo degli Uffizi... Il mio amico ha paura di un altro attentato.

-State tranquilli, qui non ci sono mafiosi. Abbiamo solo clienti **scelti**, come il signor Grusser...

-Grusser?

-Sì, il capo della polizia di Amburgo. Ha la camera vicino alla vostra.

CAP XXVIII

Nella camera, poco dopo.

Hans è sul letto, Francesca è in piedi vicino alla finestra.

-Dobbiamo andare via, Francesca. Grusser è qui. Adesso mi faccio la doccia e poi cerchiamo un altro albergo.

-E' molto strano...

-Che cosa?

-Perché Grusser è ancora a Firenze? L'albergatore ha detto che è qui da due giorni.

-Allora non è stato lui a sparare l'altra notte...

-No, sono stati i suoi amici. Ma non capisco...Perché Grusser non è ancora tornato in Germania?

-Forse ha paura che noi parliamo con la polizia.

-O forse prepara un altro attentato... Ehi, guarda Hans... Non è Grusser quello?

-Dove?

-Là, sta uscendo dall'albergo.

-Sì, è lui.

---

scelti: selezionati, di buona qualità. *Es.: in questo ristorante hanno solo vini scelti.*

Note

Grusser attraversa la strada e gira a sinistra. Va verso il centro della città.

-Senti Hans, dobbiamo scoprire perché è rimasto a Firenze.

-Io non voglio scoprire niente. Adesso mi faccio la doccia e poi andiamo via.

-Ma Hans...

-Non dire niente.. Tra dieci minuti andiamo via, va bene?

-Va bene, Hans.

CAP XXIX

Cinque minuti dopo.

Francesca apre la finestra. Sulla sinistra, a un metro di distanza, c'è la finestra della camera di Grusser. C'è anche un piccolo balcone.

"Devo provare" -pensa Francesca- "Ora Hans è sotto la doccia".

Con un **salto**, Francesca è sul balcone. La finestra è aperta, non è difficile entrare.

Dentro la camera di Grusser c'è una grande confusione: i vestiti sono sul letto, la valigia è per terra, vicino all'armadio.

"E questo che cos'è?"

Ora Francesca è accanto al tavolo. Guarda un foglio con dei disegni.

"Ma certo! La pianta del museo degli Uffizi!"

All'improvviso, si sente un rumore. Sta arrivando qualcuno.

"E' Grusser!"

---

 salto: *Es.: Carl Lewis ha fatto un salto di 8 m e 97 cm.*

Note

Francesca **si nasconde** sotto il letto. Subito dopo, Grusser apre la porta. Ha dimenticato il portafoglio.

Grusser prende un paio di pantaloni dal letto e guarda nelle tasche: non c'è niente. Poi prende una giacca: il portafoglio è nella tasca destra.

In questo momento squilla il telefono.

-Pronto?... Come?... Non sono più a Napoli?.. E dove sono allora?... Non mi interessa, non è colpa mia... Io voglio i miei soldi... Stasera... Sì, va bene, a mezzanotte... Nella chiesa di Santa Croce... D'accordo, a stasera ...

Grusser esce.

CAP XXX

Nella camera di Hans e Francesca, subito dopo.

Francesca entra dalla finestra.

-Hans...

Hans sta uscendo dalla doccia.

-Sì?

-Sono stata da Grusser. Lui ed i suoi amici sanno che non siamo più a Napoli.

-Eh!?

-Sì, ho sentito una telefonata... Quando lui è entrato, mi sono nascosta sotto il letto e...

Francesca racconta ad Hans la sua avventura.

-Tu sei matta...

-Senti Hans, dobbiamo andare a Santa Croce... Nella chiesa... A

---

si nasconde (inf. *nascondersi*): esce dalla vista, diventa invisibile. *Es.: il sole si nasconde dietro le nuvole.*

mezzanotte Grusser ha un appuntamento con qualcuno e...

-Cosa? Noi non andiamo in nessuna chiesa, Francesca. Adesso usciamo da questo albergo e prendiamo il primo treno per Amburgo.

-Ma Hans... Dobbiamo scoprire chi deve incontrare Grusser...

-Ho detto di no. Noi non andremo in nessuna chiesa. E' chiaro?

-Sì, Hans.

CAP XXXI

Chiesa di Santa Croce, ore ventiquattro.

-Non capisco perché mi lascio sempre **convincere**.

-Perché mi ami, Hans.

-E' vero, angelo mio. E' la più incredibile storia d'amore della mia vita.

-Anche per me, Hans... Ehi, è mezzanotte e non è ancora venuto nessuno...

-Sei sicura di aver capito bene?

-Certo. Grusser ha detto a mezzanotte, dentro la chiesa.

-Chi deve incontrare?

-Non lo so. Grusser ha detto che vuole i suoi soldi...

-Forse la camorra deve pagare Grusser per l'attentato...

-Sì, forse è così.

-Lo sai che questa chiesa è molto bella?

-E' in stile gotico, come Santa Maria Novella.

-Sul mio libro c'è scritto che qui ci sono le tombe degli italiani famosi...

-E' vero, c'è la tomba di Michelangelo, di Galileo e di Machiavelli...

---

convincere: persuadere. *Es.: "Io sono sicuro delle mie idee, tu non mi puoi convincere".*

Note

A me fa un po' paura... Guarda Hans, arriva qualcuno... E' Grusser...

-Sì, è lui. Che cosa fa?

-Andiamo più vicino, per vedere meglio...

-No, stai ferma... Resta qui... Arriva qualcun altro. E' un uomo con una borsa.

-Ma quello... Quello è Carosi!

Grusser e Carosi si incontrano al centro della chiesa. Cominciano a discutere. Carosi dà la borsa a Grusser. Grusser la apre e guarda dentro: ci sono i soldi.

-Hai visto? Ha dato la borsa a Grusser.

-Sì, e Grusser sta contando i soldi... Ma perché Carosi urla? Guarda, ha una pistola...

-Sì... Anche Grusser... Aiuto Hans!

RAT! RAT! BUM! BAM! BENG! BUNG!

CAP XXXII

-Hans?

-Sono qui, angelo mio. E' finita?

-Sì, guarda....

Grusser e Carosi sono a terra. Morti. C'è sangue dappertutto.

-Carosi ha ucciso Grusser...

-E Grusser ha ucciso Carosi...

-Sì... E qui... Qui ci sono almeno due miliardi di lire...

-Quanti sono due miliardi di lire?

-Sono tanti, Hans... Tantissimi...

CAP XXXIII

Roma, aeroporto Leonardo da Vinci. Il giorno dopo.

Hans e Francesca salgono sull'aereo.

-Sono questi i nostri posti?

-Sì, sono questi.

-Senti Francesca, io non ho ancora capito... Perché Carosi ha sparato a Grusser?

-E' chiaro, Hans...

Francesca spiega:

-Dopo la condanna di Passalacqua, Carosi diventa il nuovo capo della camorra. Dice a Grusser di organizzare l'attentato al museo degli Uffizi. Per questo lavoro, gli promette molti soldi. Allora Grusser, con i due camorristi, mette la bomba al museo. Ma fa molti errori, ed io e te scopriamo tutto...

-Per questo la camorra decide di ucciderci...

-Sì, e decide di uccidere anche Grusser.

-Perché?

-Perché il suo lavoro non è stato perfetto... Grusser ha fatto molti errori... Ha lasciato dei **testimoni**...

-Ho capito. Carosi va nella chiesa di Santa Croce per uccidere Grusser, non per pagarlo.

-Sì. Carosi dà i soldi a Grusser. Mentre Grusser conta i soldi, Carosi gli spara. Ma anche Grusser ha una pistola e...

---

testimoni: persone che vedono qualcosa d' importante. *Es.: due testimoni hanno visto l'incidente.*

Note

-...anche lui spara e tutti e due muoiono.

-Esatto.

-Adesso è chiaro. Guarda Francesca, l'aereo parte...

«Il comandante e l'equipaggio del volo Roma-Rio de Janeiro vi augurano un buon viaggio. Vi pregano di allacciare le cinture di sicurezza e di non fumare. Grazie.»

-Allacciare le cinture... Ecco fatto... Senti Francesca, c'è la mafia in Brasile?

-Non lo so, Hans. Spero di no. Dove sono i soldi?

-Sono qui, nella borsa... Quando arriviamo a Rio mi voglio fare subito un bagno...

-Hans...

-Sì?

-Vieni qui, abbracciami.

-Certo, angelo mio.

FINE

RIASSUNTO

CAP I. Hans, un musicista di Amburgo, parte per Napoli. Sul suo treno sale anche Grusser, il capo della polizia.

CAP II. In treno Hans si siede vicino a Francesca, una giornalista. Anche lei sta andando a Napoli.

CAP III. Hans e Francesca parlano a lungo e diventano amici. La giornalista spiega ad Hans molte cose sulla mafia, poi si addormenta.

CAP IV. Hans è nel vagone ristorante. Osserva gli altri viaggiatori e pensa ai suoi viaggi.

CAP V. Quando Francesca si sveglia, il treno è arrivato in Austria. Ora nello scompartimento ci sono anche due italiani.

CAP VI. Hans e Francesca vanno nel vagone ristorante. Francesca racconta: ha ascoltato i discorsi dei due italiani...

CAP VII. ...e ha capito che sono dei mafiosi e che Grusser è un loro amico. Hans non crede alle parole di Francesca.

CAP VIII. Poco dopo, però, incontrano Grusser con i due italiani.

CAP IX. Mentre salutano Grusser, il treno arriva al Brennero. Hans e Francesca scendono per comprare qualcosa da mangiare.

CAP X. Alla stazione del Brennero, Hans e Francesca decidono di cambiare scompartimento per non dormire con i due italiani.

CAP XI. Tornati sul treno, cercano un altro posto.

CAP XII. Francesca invita Hans nella casa della nonna a Napoli. Poi i due si addormentano.

CAP XIII. Nella notte il treno arriva a Firenze. Grusser scende con i due italiani e una valigia molto grande.

CAP XIV. La mattina dopo Hans e Francesca arrivano a Napoli.

CAP XV. Nella metropolitana ascoltano i discorsi dei passeggeri. Qualcuno parla di un attentato al museo degli Uffizi di Firenze.

CAP XVI. Dopo pochi minuti arrivano alla casa della nonna di Francesca.

CAP XVII. Mentre Hans fa la doccia, Francesca ascolta la radio. Forse Grusser

Note

ha messo la bomba al museo.

CAP XVIII. La sera i due ragazzi vanno all'Officina, una fabbrica dove suonano gli amici di Francesca.

CAP XIX. Mentre Francesca saluta gli amici, Hans suona il sassofono.

CAP XX. Dopo il concerto tutti vogliono andare in pizzeria, ma qualcuno spara da una macchina.

CAP XXI. Per fortuna nessuno è ferito.

CAP XXII. La mattina dopo Hans e Francesca ascoltano altre notizie sull'attentato al museo. Francesca è sempre più sicura: Grusser ha messo la bomba con l'aiuto della mafia e di Carosi, il capo della polizia italiana.

CAP XXIII. Qualcuno suona alla porta. Per terra, c'è un biglietto che dice: "La camorra vi ucciderà".

CAP XXIV. La sera Hans e Francesca tornano all'Officina e raccontano tutto agli amici. Decidono di andare via da Napoli.

CAP XXV. Nella notte, prendono il treno per Firenze.

CAP XXVI. La mattina dopo arrivano a Firenze. Cercano un albergo sul Lungarno Vespucci...

CAP XXVII. ...ma è proprio l'albergo dove si trova anche Grusser.

CAP XXVIII. Dalla finestra della camera, Francesca vede Grusser uscire dall'albergo. Hans vuole andare via, ma Francesca...

CAP XIX. ...entra nella camera di Grusser. Quando Grusser torna, Francesca si nasconde sotto il letto e ascolta una telefonata.

CAP XXX. Francesca torna da Hans e spiega che Grusser ha un appuntamento a mezzanotte nella Chiesa di Santa Croce.

CAP XXXI. A mezzanotte Hans e Francesca sono nella chiesa. Vedono Grusser incontrare il capo della polizia italiana Carosi. I due poliziotti sparano e...

CAP XXXII ...restano a terra morti. Vicino a loro c'è una valigia piena di soldi.

CAP XXXIII. Il giorno dopo, Hans e Francesca partono per Rio de Janeiro con i soldi della mafia.

Scheda

COS'È LA MAFIA?

La mafia è un'organizzazione criminale. È nata nel XIX secolo nelle campagne della Sicilia.

In questo periodo i mafiosi sono i grandi proprietari di terre che controllano la ricchezza: l'acqua, il lavoro dei contadini e le banche.

Nei primi anni del secolo, milioni di italiani emigrano negli Stati Uniti. In questo modo la mafia arriva in America.

In pochi anni la mafia americana (cosa nostra) diventa molto forte in alcune grandi città come New York e Chicago.

Cosa nostra vive di racket, commercio illegale (per esempio di alcool) e di prostituzione. Con i soldi guadagnati in questo modo, la mafia compra ristoranti, alberghi, negozi e altre attività legali.

Durante la seconda guerra mondiale (1939 - 1945) gli americani arrivano in Sicilia. Cosa nostra segue l'esercito americano: in questo modo nasce la mafia moderna. Da allora i boss mafiosi controllano gran parte delle attività economiche, sociali e politiche della Sicilia.

I politici, i giudici, i giornalisti, i commercianti, gli industriali e i normali cittadini che non accettano il potere mafioso spesso sono uccisi.

La mafia moderna è un'organizzazione internazionale: compra la droga in Oriente e in Sud America e commercia con tutti i Paesi del mondo.

Grazie alla droga la mafia guadagna milioni di dollari ogni anno.

A fianco della mafia, nel sud Italia esistono altre organizzazioni criminali: la camorra a Napoli, la 'ndrangheta in Calabria e la sacra corona unita in Puglia.

ESERCIZI

Capitoli I-XIII

1. Scegli la risposta giusta.

Perché Francesca va in Italia?
a - Per vacanza. ☐
b - Per imparare l'italiano. ☐
c - Per lavoro. ☐

Cos'è la camorra?
a - È la mafia di Napoli. ☐
b - È la mafia siciliana. ☐
c - È la mafia calabrese. ☐

Cosa sono i due passeggeri italiani secondo Francesca?
a - Sono due poliziotti. ☐
b - Sono due turisti. ☐
c - Sono due camorristi. ☐

Cos'è Grusser secondo Francesca?
a - Un amico della mafia. ☐
b - Un bravo poliziotto. ☐
c - Un amico della polizia. ☐

Dove pensa di andare Francesca quando arriverà a Napoli?
a - Nella casa della nonna. ☐
b - Nella casa degli zii. ☐
c - In albergo. ☐

Chi scende dal treno a Firenze?

a - Hans e Francesca. ❐

b - Grusser. ❐

c - Grusser e i due italiani. ❐

2. Completa il dialogo.

- Scusa, è libero questo _____?

- Sì, non c'è nessuno.

- Allora _____ siedo qui, vicino a te. Mi chiamo Hans. Vado a Napoli.

- Piacere, io sono Francesca. _____io vado a Napoli.

- Sei italiana?

- Un po'. Mia _____ è tedesca e mio padre è italiano. Ma io sono _____ in Germania.

- Ho capito. E ora vai in Italia per le vacanze.

- No. Vado in Italia per lavoro. Sono una giornalista. Devo scrivere qualcosa sulla mafia.

- Ah sì? Lo _____ chi c'è su questo treno?

- No, chi c'è?

- Grusser, il capo della polizia. _____ conosci?

- Certo. Una volta _____ ho anche intervistato. Si occupa della lotta alla mafia. Ma come fai a sapere che viaggia su questo treno?

- _____ ho visto salire. È in prima _____.

3. Scegli l'espressione giusta.

- Buonasera, signor Grusser.
- Buonasera, signorina. Lei **mi conosci / mi conosce / ti conosco**?
- Sì, sono una giornalista. Non **ricordi / si ricordi / si ricorda** di me? Sono venuta da lei per un'intervista, una volta...
- Ah sì, ora ricordo... Lei è la signorina...
- Francesca Affatato.
- Sì... Sì... Francesca Affatato... Certo... Mi ricordo... **Lei è / Tu sei / Lei sei** italiana, non è vero?
- No, **il mio padre / lo mio padre / mio padre** è italiano. Io sono tedesca. E questo è **il mio amico / lo mio amico / mio amico** Hans Lubber.
- Piacere. Ho incontrato questi due amici italiani e **stanno andando / sto andare / sto andando** a bere un caffè con loro. Non parlano tedesco.
- Lo sappiamo. Sono **in / nel / di** nostro scompartimento.

Capitoli XIV-XXIV

1. Scegli la risposta giusta.

Di cosa parla la gente sulla metropolitana?
a - Del caldo. ❐
b - Di una bomba nel museo di Napoli. ❐
c - Di un attentato a Firenze. ❐

Chi ha messo la bomba secondo Francesca?
a - Grusser. ❐
b - I *99 Posse* ❐
c - I camionisti. ❐

Secondo Francesca, chi ha sparato all'uscita dall'Officina?
a - La polizia. ❐
b - La camorra. ❐
c - Grusser. ❐

Perché secondo Francesca il capo della polizia italiana è un mafioso?
a - Perché lo ha detto la radio. ❐
b - Perché lo hanno scritto i giornali. ❐
c - Perché lo hanno detto i due camorristi in treno. ❐

2. Scegli tra le parole della lista e completa il testo.
Attenzione: non tutte le parole sono necessarie!

**strada - bomba - discussione - stazione - malati - feriti - gente
mafia - parte - maestri - passeggeri - museo - polizia - attentato
scienziati.**

Hans e Francesca sono nella metropolitana, tra la
_____ . Ascoltano una _____ .
Alcuni _____ stanno parlando di un
_____ . Nella notte è esplosa una
_____ a Firenze, dentro il _____
degli Uffizi... Ci sono stati molti _____ ... Quadri
di Leonardo, di Raffaello e di altri _____ del
Rinascimento italiano sono stati distrutti... Una
_____ del museo è crollata. Forse è un nuovo
attentato della _____ .

3. Scegli l'espressione giusta.

- Okay... Cerchiamo **di / a / per** capire... Grusser è il capo della polizia
di Amburgo. È **un' / l' / un** amico della mafia. Viene in Italia per fare
un attentato. Sul treno incontra due camorristi. Scendono tutti e tre **in
/ a / da** Firenze e mettono la bomba **in / dentro / al** museo degli Uffizi.
Carosi, il capo della polizia italiana, è d'accordo con **il loro / loro / i
loro.** Dice che **scoprisserà / scoprirebbe / scoprirà** i colpevoli e
invece protegge **sui / loro / i suoi** amici. Ah, dimenticavo... Grusser
ha una valigia **molto grande / molta grande / molta granda**... Forse
c'è un cadavere...

Capitoli XXV-XXXIII
1. Scegli la risposta giusta.

Perché Hans e Francesca vanno via da Napoli?
a - Perché vogliono visitare Firenze.   ❐
b - Perché la camorra li vuole uccidere.   ❐
c - Perché vogliono cercare Grusser.   ❐

Chi c'è nell'albergo di Hans e Francesca?
a - Il capo della polizia italiana.   ❐
b - I due camorristi dell'attentato.   ❐
c - Grusser.   ❐

Perché Carosi ha incontrato Grusser nella chiesa di S. Croce?
a - Per parlargli.   ❐
b - Per pagarlo.   ❐
c - Per ucciderlo.   ❐

Che cosa fanno alla fine Hans e Francesca?
a - Partono per il Brasile con i soldi della mafia.   ❐
b - Tornano in Germania.   ❐
c - Vanno dalla polizia e raccontano tutto.   ❐

2. Completa il dialogo.
In albergo.
- Avete una _____ doppia per stanotte?
- Certo, signorina. Con o senza _____?
- Con _____.
- D'accordo. Mi dia il suo _____ e scriva i suoi
dati anagrafici su questa scheda. Anche il suo amico.
- Hai capito, Hans? Devi scrivere il tuo _____,
il cognome, la _____ di nascita e l'indirizzo.

3. In questo dialogo ci sono 3 errori. Trovali e correggili.

Chiesa di Santa Croce, ore ventiquattro.
- Non capisco perché mi lascio sempre convincere.
- Perché ti ami, Hans.
- È vero, angelo mio. È la più incredibile storia d'amore di mia vita.
- Anche per me, Hans... Ehi, è mezzanotte e non è ancora venuto nessuno...
- Sei sicura di aver capito bene?
- Certo. Grusser ha detto a mezzanotte, dentro la chiesa.
- Chi deve incontrare?
- Non lo so. Grusser ha detto che vuole suoi soldi...
- Forse la camorra deve pagare Grusser per l'attentato.
- Sì, forse è così.

4. Completa il testo con le parole della lista.

**aeroporto - condanna - conta - ha sparato - muoiono - organizzare
pagarlo - pistola - promette - scopriamo - testimoni - uccidere
ucciderci**

Roma, _____ Leonardo da Vinci. Hans e Francesca salgono sull'aereo.
- Senti Francesca, io non ho ancora capito... Perché Carosi _____ a Grusser?
- È chiaro, Hans... Dopo la _____ di Passalacqua, Carosi diventa il nuovo capo della camorra. Dice a Grusser di_____ l'attentato al museo degli Uffizi. Per questo lavoro, gli _____ molti soldi. Allora Grusser, con i due camorristi, mette la bomba al museo. Ma fa molti errori ed io e te _____ tutto.
- Per questo la camorra decide di _____.

- Sì, e decide di _____ anche Grusser.

- Perché?

- Perché il suo lavoro non è stato perfetto... Grusser ha fatto molti errori... Ha lasciato dei _____ .

- Ho capito. Carosi va nella chiesa di Santa Croce per uccidere Grusser non per _____.

- Sì, Carosi dà i soldi a Grusser. Mentre Grusser _____ i soldi, Carosi gli spara. Ma anche Grusser ha una _____ e anche lui spara e tutti e due _____.

PER LA DISCUSSIONE IN CLASSE

1) Descrivi il personaggio di Francesca.

2) Descrivi il personaggio di Hans.

3) Che tipo di musica ti piace ascoltare?

4) Che cosa conosci della mafia?

5) Nel tuo Paese esiste il problema della criminalità?

6) Racconta un'avventura che hai vissuto.

SOLUZIONI DEGLI ESERCIZI

Capitoli I-XIII

1 : c, a, c, a, a, c

2: posto; mi; Anche (Anch'); madre; nata; sai; Lo; l'; L'; classe

3: mi conosce; si ricorda; Lei è; mio padre; il mio amico; sto andando; nel

Capitoli XIV-XXIV

1: c, a, b, c

2: gente; discussione; passeggeri; attentato; bomba; museo; feriti; maestri; parte; mafia

3: di; un; a; al; loro; scoprirà; i suoi; molto grande

Capitoli XXV-XXXIII

1: b, c, c, a

2: camera; bagno; bagno; passaporto; nome; data

3: Chiesa di Santa Croce, ore ventiquattro.

- Non capisco perché mi lascio sempre convincere.

- Perché **mi** ami, Hans.

- È vero, angelo mio. È la più incredibile storia d'amore **della** mia vita.

- Anche per me, Hans... Ehi, è mezzanotte e non è ancora venuto nessuno...

- Sei sicura di aver capito bene?

- Certo. Grusser ha detto a mezzanotte, dentro la chiesa.

- Chi deve incontrare?

- Non lo so. Grusser ha detto che vuole **i suoi** soldi...

- Forse la camorra deve pagare Grusser per l'attentato.

- Sì, forse è così.

4: aeroporto; ha sparato; condanna; organizzare; promette; scopriamo; ucciderci; uccidere; testimoni; pagarlo; conta; pistola; muoiono

Indice